D0832816

Fais ton lit, Lili !

Après avoir été hôtesse de l'air, traversé l'Atlantique à la voile, avoir vécu d'un bout à l'autre du globe, Clotilde Bernos est revenue en France.

Depuis, elle s'intéresse beaucoup à la littérature de jeunesse.

Suppa est brésilienne. Elle vit depuis quinze ans à Paris où elle travaille surtout dans la presse et la publicité.

Collection dirigée par Laurence Kiéfé.

© 1994, Editions Mango.

Fais ton lit, Lili !

Clotilde Bernos

Illustrations de
Suppa

— Fais ton lit, Lili !
Lili ne répond pas.
En chemise de nuit,
elle saute à pieds joints sur l'édredon
et rebondit en poussant des cris...
— Entends-tu ce que dit ta mère,
Lili ?
Non, Lili n'entend pas.

Elle dresse un troupeau
d'éléphants sauvages dans la forêt
Bongo-Bongo, là-bas, en Afrique.
Alors, Lili ne peut rien entendre
d'autre que le barrissement
des éléphants et le son du tam-tam.

« Lave-toi les dents, Lili,
avec le bon dentifrice à l'anis ! »
Lili ne répond pas.
Les mains plongées dans le lavabo,
elle regarde rêveusement
couler l'eau…

— Entends-tu ce que dit ton père, Lili ?
Non, Lili n'entend pas.

Au milieu des crocodiles affamés,
elle remonte en pirogue
le grand fleuve Maya-Yaca,
là-bas, en Amazonie.
Alors, Lili ne peut rien entendre
d'autre que le clapotis des vagues
et le grondement des cascades.

— Mets ta robe orange
et les chaussures assorties, Lili !
Lili ne répond pas.

Plantée devant la porte
de la penderie, elle contemple
la belle image d'Indien
qu'elle a collée là, hier après-midi.

— Entends-tu ce que dit
Grand-Mère, Lili ?
Non, Lili n'entend pas.

Elle galope vers Sioux-City,
là-bas, en Amérique.
Avec son amie Petite Plume,
elles sont poursuivies
par les méchants hommes blancs.

Alors, Lili ne peut rien entendre
d'autre que le galop rapide
de leurs poursuivants...

— Viens manger tes tartines beurrées
et un peu de clafoutis, Lili !
Lili ne répond pas.
A toute allure, elle se laisse glisser sur
la rampe de l'escalier.

— Entends-tu ce que dit
Grand-Père, Lili ?
Non, Lili n'entend pas.

Elle fonce en vélo
autour du lac Koko Nor,
là-bas, au fin fond de la Chine.
Alors Lili ne peut rien entendre
d'autre que le sifflement du vent…

— Prépare ton cartable
et n'oublie surtout pas de relire
ta leçon de géographie, Lili !
Lili ne répond pas.

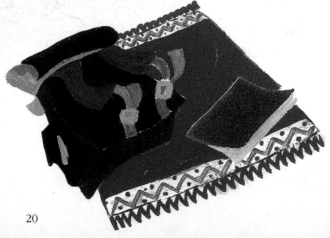

Toute tremblante, elle est tapie
au fond du grand fauteuil gris.
— Entends-tu ce que dit ta tante,
Lili ?
Non, Lili n'entend pas.

Elle est poursuivie par un ours blanc,
là-haut, au pôle Nord, et les chiens
qui tirent son traîneau
commencent à se fatiguer…

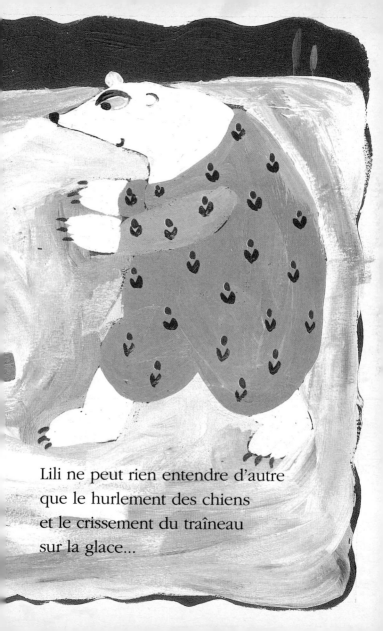

Lili ne peut rien entendre d'autre
que le hurlement des chiens
et le crissement du traîneau
sur la glace...

— C'est l'heure d'aller à l'école, Lili !
Lili ne répond pas.
Lili n'entend pas.

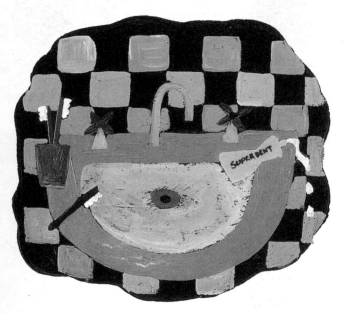

Elle n'a pas fait son lit.
Elle ne s'est pas lavé les dents
avec le bon dentifrice à l'anis.
Elle n'a mis ni sa robe orange,
ni les chaussures assorties.

Elle n'a pas mangé ses tartines,
et encore moins le reste de clafoutis.
Bien sûr, elle n'a pas préparé
son cartable.
Elle n'a pas lu, non plus,
une seule ligne de sa leçon
de géographie.

Où est donc Lili ?

Eh bien, après avoir dressé
un troupeau d'éléphants sauvages
dans la forêt de Bongo-Bongo,

remonté en pirogue le grand fleuve
Maya-Yaca,

galopé vers Sioux-City,

foncé en vélo autour du lac Koko Nor,

échappé de justesse à un ours blanc...

... Lili, épuisée, s'est tout simplement
endormie sur le tapis !

Chez le même éditeur

Dès 4 ans

- **Tibili ou le petit garçon qui ne voulait pas aller à l'école**
- **Tibili et Koumi la chauve-souris (T.L.P.)**
- **Du ski pour Tibili**   Marie Léonard/Andrée Prigent

- **La feuille**   Dieter Schmitz

- **Terminus, Paddington !**
- **Au bain, Paddington !**
- **Un pyjama pour Paddington**   Michael Bond/John Lobban

- **Mercredi, jour de pluie**   Frédérique Ganzl/Camille Ladousse

- **Moi, je n'ai pas peur**   Frédérique Ganzl/Stephan Laplanche

- **Toto le balai**   Jean-Loup Craipeau/Pronto and Co.

- **Le Père Noël coincé**   Michel Manière/Isabelle Carrier

- **Le canot des Dubulot**
- **Au boulot, les Dubulot !**   Didier Dufresne/Camille Ladousse

Dès 7 ans

- **Belle-Zazou**   Thierry Jonquet/Nathalie Dieterlé

- **Max le zappeur**   Didier Dufresne/J.P Duffour

- **A rebrousse temps**   Pascal Garnier/Cathy Muller

- **Le commencement des Tatous**   Rudyard Kipling/A. I. Le Touzé

- **Souï Manga**   Marie-Aude et Elvire Murail/Joëlle Jolivet

- **Rita Cafarstrophe**   Martine Dorra/Frédérique Vayssières

- **Robinson couteau suisse**   Bruno Heitz

- **Le Chat Rouge**   Pierre Mezinski/Sophie de Seynes

- **La vérité sur les fessées**   Martine Dorra/Clément Oubrerie

- **Peau-de-Rousse**   Marie-Aude Murail/Alice Dumas

Dépôt légal : mai 1994

Loi n° 49-956 du 16 juillet 1949
sur les publications destinées à la jeunesse.

ISBN 2 7404 0367 4

ISSN 1160 185 X